LA GRANDE IMAGERIE

LES GAULOIS

Conception :
Jack BEAUMONT

Texte :
Stéphanie REDOULÈS

Dessins :
M.I.A. : Giampietro COSTA

FLEURUS

FLEURUS ÉDITIONS, 15-27, rue Moussorgski, 75018 PARIS
www.fleuruseditions.com

QUI ÉTAIENT LES GAULOIS ?

Les Gaulois sont des Celtes qui ont vécu il y a environ 25 siècles, entre le Ve siècle av. J.-C. et le Ier siècle ap. J.-C. Ils occupaient le territoire de l'Europe correspondant approximativement à la France actuelle, la Gaule. Les Celtes regroupaient alors différents peuples ayant en commun des langues proches et la maîtrise du fer. Paysans, forestiers et habiles artisans, les Gaulois formaient un ensemble de sociétés indépendantes jusqu'à ce que la Gaule devienne une province romaine, en 52 ap. J.-C.

À quoi ressemblaient les Gaulois ?

Les Gaulois ont souvent été décrits comme d'impressionnants gaillards. Les hommes étaient, semble-t-il, de grande taille et pouvaient porter la barbe et la moustache. Ils étaient vêtus d'une tunique de laine serrée à la taille par une ceinture en cuir, quelquefois recouverte d'une cape. Leurs pantalons, les braies, étaient amples et resserrés aux chevilles. Ils se chaussaient de sandales ou de bottines en cuir souple.

Les femmes avaient les cheveux longs et revêtaient une robe en lainage ou en lin complétée d'un châle selon la saison.

La Gaule

La Gaule représentait le territoire qui s'étendait des Alpes aux Pyrénées, et de la Méditerranée à la Manche et à la mer du Nord. Elle était constituée de plusieurs régions et d'une multitude de petits peuples ayant en commun des traditions religieuses, une organisation politique, des techniques artisanales... Malgré cette unité culturelle, les différents peuples gaulois étaient indépendants et ne se fréquentaient qu'à certaines occasions.

Photo aérienne montrant les fondations d'une ferme gauloise dont le sol a gardé la trace.

Les Gaulois n'ayant pas laissé de longs textes, ce sont les objets retrouvés lors des fouilles qui permettent de savoir comment ils travaillaient, ce qu'ils mangeaient, quels animaux ils élevaient, quels bijoux ils portaient...

Certains Gaulois se décoloraient les cheveux à l'eau de chaux afin de paraître très blonds. Les historiens ne connaissent pas la raison de cette curieuse coutume.

À la découverte des Gaulois...

Grâce aux fouilles entreprises par les archéologues, beaucoup de sites ont pu être mis au jour, et avec eux des objets, des céramiques, des squelettes, des traces d'habitations... qui en disent long sur les Gaulois. Aujourd'hui, les chercheurs disposent de techniques très pointues, telles que la télédétection au laser, qui sert au repérage des sites et permet de voir, par exemple, le tracé d'anciens remparts de villes fortifiées. Les photos aériennes sont très utilisées. Elles révèlent l'emplacement de fermes ou de villages dont les traces sont encore visibles dans le sol (voir ci-dessus).

Casque de guerrier

Céramiques

Torque (collier)

LES OPPIDA

La plupart des Gaulois habitent des fermes isolées (*aedificia*) ou de petits villages (*vici*), mais il existe aussi en Gaule des villes fortifiées (*oppida*), véritables places fortes défendues par d'imposants remparts.
Les oppida se développent surtout à la fin du IIe siècle av. J.-C.
Ils réunissent commerçants et artisans et constituent d'importants centres d'échanges. Les Gaulois des campagnes ne vivent que de leur production. Ils achètent dans les bourgs ce qu'ils ne fabriquent pas et les produits venus de l'étranger
(lire aussi p. 21).

Un site protégé

L'oppidum s'est généralement développé sur un site protégé, en hauteur ou dans la boucle d'un fleuve, qui le rend difficilement accessible aux ennemis. Cette place forte contrôle souvent un territoire de plusieurs kilomètres à la ronde. L'oppidum de Bibracte était par exemple la capitale des Éduens, un peuple gaulois qui habitait approximativement la Bourgogne actuelle. Son site, fouillé et étudié depuis plusieurs années, apporte de nombreuses informations sur l'organisation des villes gauloises.

Centres de commerce et de communication, les oppida sont des lieux animés où se côtoient artisans, paysans, commerçants...

La vie dans l'oppidum

On vient parfois de loin faire ses achats dans l'oppidum, qui est aussi un pôle politique et religieux où se prennent de grandes décisions. À l'intérieur de l'enceinte de la ville, on distingue des quartiers d'artisans souvent répartis par spécialité, des lieux de culte, des places de marché, des enclos et des granges pour les bêtes. Les maisons, généralement alignées, dessinent les rues où circulent les chariots des commerçants et des paysans.

Situé sur le mont Beuvray, en Bourgogne, et protégé par son murus gallicus, Bibracte constitue un bel exemple d'oppidum.

Le murus gallicus

C'est le nom donné aux redoutables remparts qui protègent l'oppidum. Cette solide enceinte est constituée de terre armée de poutres entrecroisées et fixées par de fantastiques clous de 30 cm de long ! Recouvert d'un parement de pierres, ce mur gaulois, réputé invincible, est particulièrement résistant. Il ne craint ni le feu ni les coups violents que peuvent porter les assaillants. Parfois surmonté d'une palissade en bois, il fait le tour de l'oppidum et protège efficacement la ville. À Bibracte, l'enceinte de 5 km aurait nécessité d'abattre 200 ha de bois, soit l'équivalent de 20 stades de foot !

Qu'elle soit en ville ou isolée, la maison gauloise est construite en terre et en bois. Les murs sont souvent faits de branches souples entrelacées sur lesquelles est projeté un mélange de boue et de paille (le torchis). Selon les régions, le toit est couvert de paille (chaume), de roseaux ou de tuiles plates en bois (bardeaux).

LA VIE QUOTIDIENNE

Chez les Gaulois, la famille est très importante. Elle regroupe souvent trois générations, chacun s'entraidant dans les différentes tâches de la vie quotidienne. Lorsqu'un membre de la famille est âgé ou malade, il est pris en charge par ses proches. Mais à l'époque on ne vit guère vieux et il est heureux de dépasser l'âge de 35 ans !
Le chef de famille protège et défend son foyer, les femmes se chargent de l'éducation des enfants et des activités domestiques. Quant aux célèbres banquets gaulois, des fouilles archéologiques montrent qu'ils ont effectivement existé.

À table !

L'étude des sites et des récipients qui ont été retrouvés permet d'en savoir un peu plus sur les repas gaulois. L'élevage de cochons, de moutons et de chèvres procure de la viande, que l'on accompagne de légumes secs ou de bouillies de céréales.
Le pain agrémente ces mets. Les plats en terre servent à faire mijoter des ragoûts ou des soupes, tandis que la technique de la broche est inégalable pour le rôtissage. Les Gaulois sont aussi connus pour leur charcuterie. Et si la région offre de quoi pêcher, on sert du poisson à table. Côté boissons, les Gaulois fabriquent de la bière (cervoise) et importent du vin italien.

La vie de famille

La femme gauloise dispose d'une certaine indépendance. Elle est libre de choisir son mari et de s'en séparer (même si c'est assez rare). Dans la journée, le chef de famille est souvent absent ; il est occupé par ses activités d'artisan, de paysan ou de commerçant. Les enfants les plus jeunes restent avec leur mère à jouer aux osselets, à la poupée ou à la dînette... Les plus grands aident à différentes tâches : garder les troupeaux, saler la viande, moudre le grain...

La maison gauloise est simple mais confortable.

Les banquets

Des fouilles récentes attestent que les Gaulois donnaient des banquets comme cela a longtemps été décrit. Des festins les réunissaient certainement à l'occasion de fêtes religieuses ou saisonnières. Assis sur des peaux et des paillasses de végétaux, mangeant dans des assiettes en bois ou en terre cuite, ils se régalaient de viandes rôties (plus probablement du porc que du sanglier) et arrosaient le repas de vin pur. Ces banquets donnaient lieu à des récits glorieux, des chansons et des réjouissances qui pouvaient durer plusieurs jours.

Saler la viande, moudre les céréales, préparer le pain... est l'affaire des femmes et des jeunes filles de la maison.

Les travaux domestiques

Les femmes sont chargées des principales tâches de la maison. Elles s'occupent des enfants, tissent les textiles et préparent les aliments. Ce sont elles par exemple qui moulent l'orge ou le blé, dont la farine servira à faire le pain. Les femmes préparent aussi la viande rapportée par les hommes. Pour la conserver plus longtemps, elles la salent avant de la disposer dans un récipient en terre. En dehors de leur foyer, certaines Gauloises peuvent parfois être commerçantes ou sage-femmes.

LE TRAVAIL DES MÉTAUX

Les Gaulois sont maîtres dans l'art de travailler les métaux. Ils fondent du cuivre et de l'étain pour obtenir du bronze, qu'ils coulent ensuite dans des moules afin de réaliser différents objets. Vers 800 av. J.-C., ils commencent à savoir préparer le minerai de fer pour en tirer du métal et le forger. Le fer est plus difficile à travailler que le bronze, mais il sert à fabriquer des outils et des armes solides. L'outillage s'améliore peu à peu et chaque village possède son forgeron. Le bronze est essentiellement réservé aux bijoux, à la monnaie et à certains outils.

L'extraction du fer

Le sol de la Gaule est riche en minerai de fer. C'est une grande chance pour les Gaulois, qui n'ont pas à l'importer. Le fer est le plus souvent extrait en surface, à flanc de colline ou à même le sol, peu profondément, plus rarement dans des mines souterraines.

La transformation du minerai

Pour obtenir du métal à partir du minerai de fer, il faut d'abord faire chauffer celui-ci à près de 1 100 °C dans une cheminée en argile (1) afin que que les impuretés fondent. La cheminée est ensuite cassée et l'on récupère alors le fer fondu épuré (2). Le bloc de fer obtenu sera chauffé, forgé et martelé (voir page de droite). Les métaux comme le bronze, le plomb ou l'argent sont fondus et coulés dans des moules.

Lames d'épée et clous en fer

Bronziers et orfèvres

L'artisan bronzier travaille le bronze, qu'il obtient à partir de cuivre et d'étain. Il travaille aussi le plomb, l'argent et l'or extraits des mines gauloises. Il fond les métaux, qu'il verse dans des moules. Il fabrique ainsi divers objets (têtes de hache, manches d'épée...), mais également des pièces de monnaie. L'orfèvre, quant à lui, travaille l'or et, comme le bronzier, grave et décore finement les objets de métal. Ainsi, vaisselle, armes et surtout bijoux sont ornés de motifs réalisés par d'habiles orfèvres qui sont aussi parfois bronziers.

Le bronze est versé liquide dans un moule en deux parties qui sera ensuite ouvert.

Les pièces de monnaie peuvent être coulées avant d'être frappées.

Bague en or

Casque en bronze

Fibule en argent

Le forgeron

Avec lui, le bloc de fer se transforme en objet ; c'est un peu un magicien. Il commence par faire rougir le métal au contact de flammes ou de braises pour le rendre plus souple et malléable. Puis il le frappe de coups de marteau successifs pour lui donner progressivement une forme. Dès que le fer refroidit, il faut le chauffer de nouveau pour continuer le travail jusqu'à obtenir l'objet désiré. Du soir au matin, le feu brûle dans la forge et les coups de marteau résonnent dans le village.

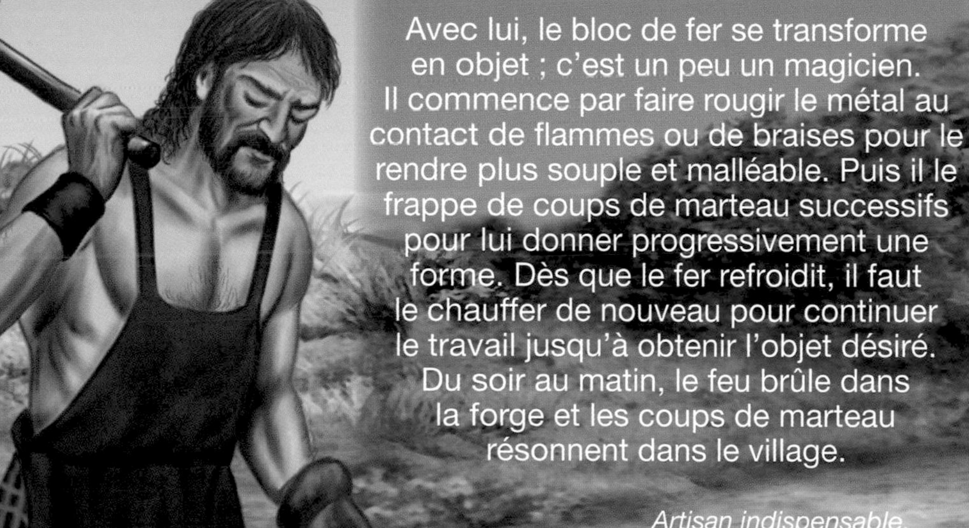

Artisan indispensable, le forgeron fournit le village en outils, en armes... et cercle les roues des charrettes.

DES PAYSANS ACTIFS

Le travail de la terre et l'élevage sont des activités majeures ; les Gaulois vivent principalement de leur production. Ce sont des paysans efficaces et organisés. Grâce à la découverte du fer et au travail du forgeron, ils perfectionnent les outils agricoles (ciseaux de tonte, socs de charrue...) et améliorent leurs techniques. Les récoltes sont de meilleure qualité et plus abondantes. Bien que les forêts soient nombreuses en Gaule, la chasse n'est pas aussi développée qu'on l'a dit. Les Gaulois sont surtout de bons éleveurs.

Les travaux des champs

À l'époque gauloise, ils sont encore très pénibles bien que le matériel ait déjà évolué. On cultive des céréales telles que le blé, l'orge et le millet. Les labours se font grâce à une araire (une sorte de charrue) qui, petit à petit, est perfectionnée : son soc en bois est remplacé par un soc de fer qui retourne la terre plus profondément.

On stocke les céréales à l'abri des rongeurs dans des greniers à grain, de petits bâtiments sur pilotis (1), ou dans des silos enterrés, sortes de puits (2) que l'on referme par un couvercle de pierre.

L'élevage

Volailles, moutons, chèvres, porcs sont les animaux que les Gaulois élèvent le plus couramment, ainsi que le bœuf. Ces animaux fournissent de la viande, du lait, des œufs et de la laine. Le cheval, de petite taille, participe souvent aux travaux des champs, au transport, et sert de monture aux guerriers, mais il peut aussi terminer dans l'assiette de la famille !

Le bétail est parqué dans les enclos qui entourent la ferme.

La moissonneuse

nventée par les Gaulois, la première moissonneuse, une caisse en bois munie de dents en métal, qui arrache les épis en roulant, est encore rudimentaire. Pourtant, en complément de la faux, elle facilite déjà grandement les moissons. es épis sont ensuite battus avec un fléau. Ce battage, tâche épuisante, ermet de récupérer le grain. Celui-ci sera stocké, tandis que la paille servira de litière pour les animaux.

La laine des moutons, tondus grâce aux ciseaux réalisés par le forgeron, sert à la confection de textiles.

À partir du Ier siècle ap. J.-C., les Gallo-Romains cultivent la vigne dans le Sud de la Gaule. Puis, grâce à des variétés plus résistantes, ils étendront cette culture à tout le territoire.

LE BOIS, UNE RICHESSE

La Gaule fut longtemps surnommée Gaule Chevelue en raison des nombreuses forêts qui la couvraient. Le territoire est en effet riche de multiples variétés : chênes, sapins, hêtres, noisetiers, frênes... qui fournissent un bois de bonne qualité aux artisans. Bûcheron, charpentier, tonnelier sont des métiers répandus, et beaucoup d'objets de la vie quotidienne (récipients, ustensiles, roues de char, tabourets...) sont en bois, sans oublier les structures des maisons. Les Gaulois seraient peut-être même les inventeurs du tonneau.

Les charpentiers

Charpentiers et menuisiers sont toujours occupés, car le bois constitue la structure des maisons : les fondations (poteaux plantés dans le sol), la charpente, les piliers, et parfois les murs sont en bois. Pour monter la charpente, on s'aide de cordages. Les planches et les poutres sont emboîtées ou fixées au moyen de chevilles en bois, ou de clous en métal.

Déboiser, défricher

Les Gaulois sont des forestiers réputés et bien équipés. Comme les agriculteurs, les bûcherons bénéficient des progrès techniques dus au travail des métaux. Ils disposent ainsi d'outils plus solides et plus efficaces tels que la hache, l'herminette (petite hache), la scie... et de chariots pratiques et maniables pour transporter les rondins et branchages. Les forestiers connaissent bien les différentes essences (variétés) : le chêne servira à l'ameublement ; le tilleul, le frêne et le merisier seront travaillés pour fabriquer des récipients ; l'osier pour la confection de paniers ou de nasses pour la pêche (voir p.19).

Le char gaulois

Le char gaulois est tout en bois, avec parfois des renforts d'osier sur les côtés. Ses roues cerclées de fer sont très résistantes. Utilisé pour la guerre, peut-être aussi pour la chasse, il est petit, maniable et léger. Les guerriers y montent à deux : l'un dirige et l'autre combat. D'autres chars, plus raffinés et plus grands, des chars d'apparat, ont été retrouvés dans les tombes de personnages riches et importants. Quant aux charrettes et chariots, ils sont parfois équipés de roues mobiles à l'avant, permettant des manœuvres plus faciles.

Du bois à tout faire

Que ce soit pour les ustensiles et récipients de cuisine, pour les palissades, les roues, les meubles, la construction de bateaux, les manches d'outils ou simplement pour se chauffer, la consommation de bois est très importante dans la société gauloise. Ce matériau est à la base de toute activité. Le tonneau en bois, bien moins fragile que l'amphore, crée une révolution dans le transport de marchandises et de liquides.

Seau en bois et métal.

D'HABILES ARTISANS

Le travail du métal et celui du bois ne sont pas les seules techniques dans lesquelles les Gaulois excellent. Ce sont également des potiers, des tisserands, des tanneurs, des émailleurs, des verriers, des vanniers... Ils confectionnent la plupart des objets du quotidien et des vêtements mais peuvent aussi réaliser des objets aujourd'hui considérés comme de vraies œuvres d'art finement travaillées. La plupart des artisans sont installés dans les villages et les oppida ; d'autres sont itinérants et vont de fermes en hameaux proposer leur savoir-faire.

Le travail du cuir

Le cuir est essentiel. Il entre dans la fabrication de chaussures, d'outres, de soufflets, de selles, de lanières, de fourreaux dans lesquels on place les armes. Les peaux sont nettoyées, amincies et tannées (c'est-à-dire assouplies) dans différents bains, notamment à base d'écorce de chêne. Elles sont ensuite découpées et travaillées selon l'utilisation qu'en feront les artisans spécialisés.

Les styles des céramiques varient selon les périodes et les régions.

La poterie

Il y a plus de quatre millénaires, les ancêtres des Gaulois modelaient déjà des objets en terre cuite. Les Gaulois perpétuent cette tradition. Ils importent aussi des céramiques grecques et romaines dont ils peuvent s'inspirer. À partir du IIIe siècle av. J.-C., certains Gaulois utilisent le tour, qui leur permet de produire des poteries de formes plus régulières. Ils cuisent celles-ci dans des fours. La terre, de l'argile, est sélectionnée avec soin et extraite de sites choisis (fonds de vallée par exemple).

Stèle de pierre montrant un cordonnier gallo-romain.

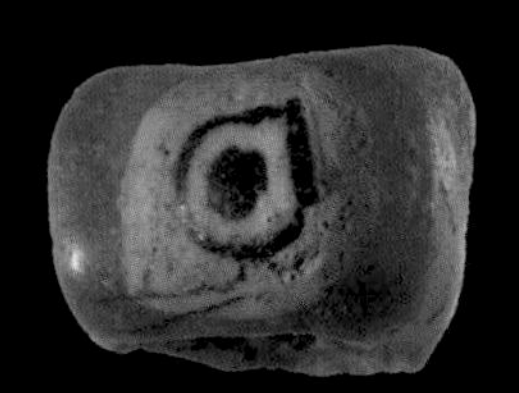

Perle de verre coloré

Le verre

Des bijoux, des perles et des récipients retrouvés à l'occasion des fouilles archéologiques montrent que les Gaulois étaient maîtres dans l'art de travailler le verre, et même de le colorer.

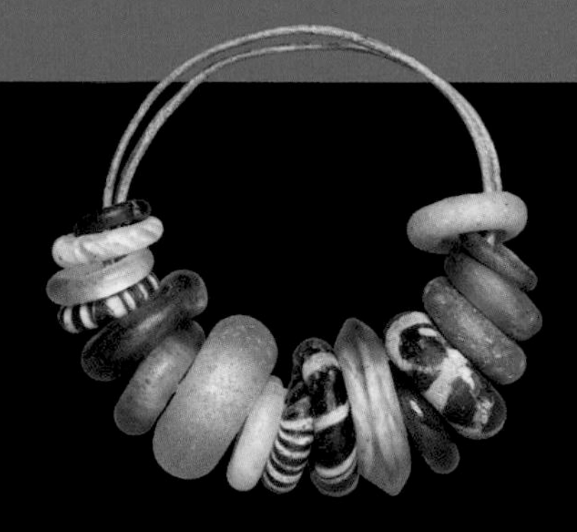

Bijou fait d'anneaux de verre (Ier ou IIe s. av. J.-C.)

L'émail

Les teintes colorées de nombreux bijoux, armes et autres objets gaulois sont dues au talent de l'émailleur. L'émail est un mélange de verre, de plomb et de cuivre fondus, déposé encore liquide sur l'objet métallique où il se fixe en refroidissant.

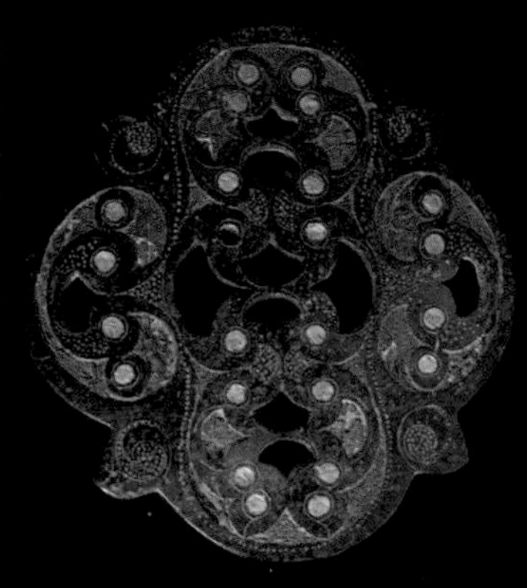

Plaque de bronze incrustée d'émaux

andale de cuir

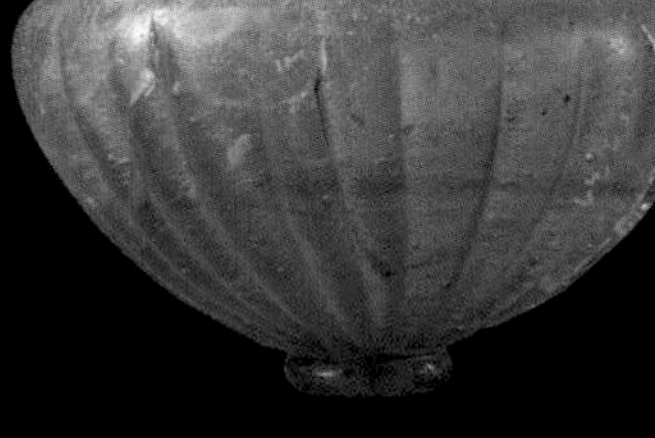

Gobelet en verre

Le tissage

La laine et le lin sont à la base des textiles gaulois. La laine provient des élevages de moutons et de chèvres. Tondue puis lavée, la laine est ensuite teinte à partir de colorants naturels pour la plupart extraits des plantes. On pense que c'est aux femmes que reviennent les tâches du filage et du tissage permettant de réaliser des étoffes colorées dont elles feront vêtements et couvertures.

La vannerie

Paniers et corbeilles de tailles variées, couffins, nasses de pêche sont des objets quotidiens. Souples, résistantes et légères, ces réalisations tressées permettent de transporter toutes sortes de marchandises. S'il existe des artisans vanniers, la vannerie est souvent fabriquée à la maison et fait partie des activités domestiques.

Les Gauloises utilisent de grands métiers à tisser verticaux en bois. Elles tissent la laine mais aussi le lin.

COMMERCE ET TRANSPORTS

Tous les peuples ne disposant pas des mêmes ressources, diverses marchandises circulent à l'époque gauloise, que ce soit pour des échanges entre Gaulois, ou avec des étrangers (Romains, Grecs, Nordiques). Le commerce entraîne le développement de réseaux de routes et de voies navigables à travers le territoire. Sur les grands axes de circulation apparaissent des centres de commerce qui donneront d'importantes cités : Lugdunum (Lyon) ou Massalia (Marseille).

Les voies d'eau

Les marchandises ne voyagent pas uniquement sur route. Comme la Gaule est traversée de grands fleuves et de rivières navigables, ces voies d'eau sont utilisées pour faire circuler les produits. Ce moyen de transport est même souvent plus rapide que la route. Le Rhône et la Loire sont ainsi bien pratiques : tandis que l'un mène à la Méditerranée, l'autre donne accès à l'Atlantique.

Les routes

Pour faire circuler leurs marchandises, les Gaulois développent le réseau routier. Ils assèchent des marais, construisent des ponts, entretiennent les axes principaux. Ils font ainsi rouler des chariots à deux ou quatre roues, tirés par des chevaux ou des bœufs. Toutefois, les routes sont encore très inconfortables.

Parmi les aménagements routiers, les Gaulois construisent des ponts en bois, comme celui dont on a retrouvé les traces, en Suisse, sur le site de La Tène.

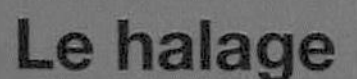

Le halage

Certaines berges de rivière sont aménagées pour le halage. Depuis le chemin, de puissants bateliers tirent à l'aide de cordages une solide embarcation en bois chargée de produits. Un autre reste à bord pour guider le bateau.

Comment se paient les produits ?

C'est d'abord grâce au troc (l'échange d'un produit contre un autre) que les Gaulois se procurent ce dont ils ont besoin. À partir du IIIe siècle av. J.-C., les mercenaires gaulois qui combattent pour les Grecs découvrent l'usage de la monnaie (ils sont payés en pièces). Peu à peu, ils introduisent ce nouveau moyen de paiement qui se généralise et remplace le troc en Gaule. À côté des premières pièces, copiées sur les modèles grecs et frappées, se répandent des pièces plus courantes et moins prestigieuses, les potins, faites dans un alliage de cuivre, d'étain et de plomb.

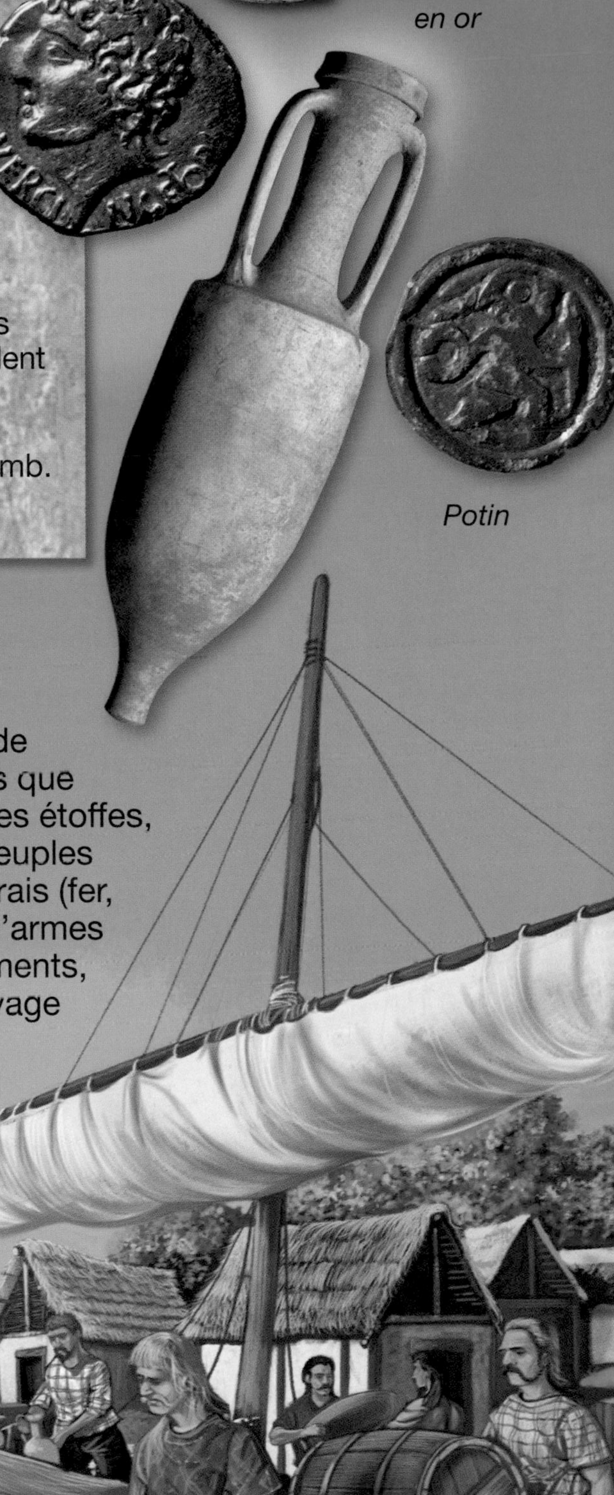

Statères en or

Potin

Bijoux venus du Nord de l'Europe retrouvés sur le site de Bibracte.

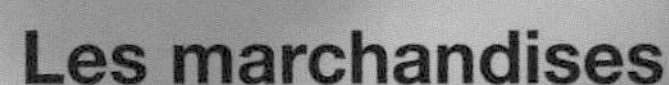

Les marchandises

À travers la Gaule circulent des produits variés. Les Grecs et les Romains fournissent de l'huile, du vin et des poteries de luxe tandis que les Gaulois leur font parvenir des céréales, des étoffes, de la charcuterie et des bijoux. Certains peuples disposent d'importantes ressources en minerais (fer, cuivre, étain) indispensables à la fabrication d'armes et d'outils. Essentiel à la conservation des aliments, le sel est aussi une denrée recherchée qui voyage à travers tout le monde celte. Les Gaulois l'exploitent principalement au bord de la Manche et de l'Atlantique ; d'autres Celtes le recueillent dans des mines.

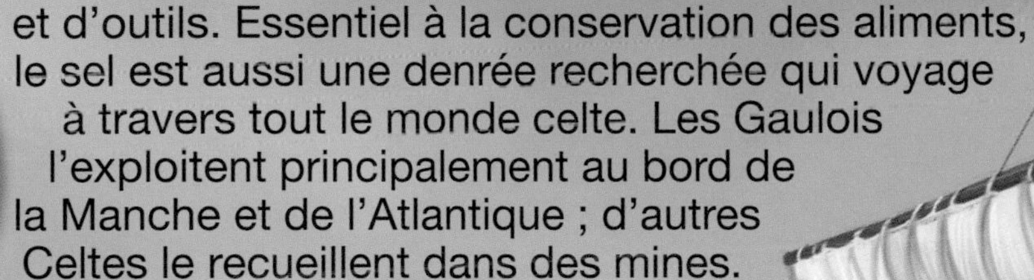

Le sel

LES CROYANCES

Comme tous les Celtes, les Gaulois respectent de nombreuses croyances, honorent de multiples divinités et pratiquent offrandes et sacrifices afin de s'attirer la bienveillance des dieux et de la nature. Des bois, des rivières et des sources sont même à l'époque considérés comme sacrés. Des prêtres tels que le druide président les cérémonies religieuses. Les Gaulois croient en l'immortalité de l'âme. Pour cette raison, ils accordent une grande importance aux objets qui accompagneront les défunts dans leur dernière demeure.

Les prêtres

Ils représentent le relais entre les dieux et les hommes. Le plus connu est le druide, qui préside toutes les cérémonies religieuses, très certainement assisté d'autres prêtres. Il est aussi consulté pour les décisions politiques et de justice. Ses connaissances de la nature et des plantes le mènent à être guérisseur.

Le druide n'était pas seulement un sage, tout de blanc vêtu, cueillant du gui dans les chênes, il avait un rôle très important dans la société gauloise.

Chez les Gaulois, la transmission des connaissances et des savoirs se fait par la parole. C'est le druide qui instruit les nouvelles générations.

La parole des druides et des bardes

C'est au druide, homme de savoir, qu'est confiée l'éducation des enfants des familles aisées. Parmi ces jeunes, certains pourront eux-mêmes devenir prêtres après plusieurs années d'enseignement. Poètes, musiciens, conteurs, les bardes, eux, transmettent les récits et exploits des Gaulois. Ils accompagnent aussi de leur musique et de leurs chants les cérémonies religieuses.

Les dieux

Selon les régions et les époques, les Gaulois ne vénèrent pas les mêmes dieux. Pourtant, ce sont souvent des dieux liés à la nature et à ses pouvoirs. On relève par exemple la présence de Taranis, dieu du Ciel et de la Foudre, Belenos, dieu de la Lumière... À la fin de la période gauloise, les divinités sont très proches de celles des Grecs et des Romains, comme Toutatis, dieu de la Guerre, l'équivalent de Mars, à Rome.

Statuette du dieu Taranis

Les sanctuaires

Ce sont les lieux de culte des Gaulois, là où se déroulent les principales cérémonies religieuses, et notamment les sacrifices d'animaux. Souvent bâtis au milieu de la nature, ils peuvent également se trouver dans les oppida. Entourant au début une simple fosse dans laquelle étaient jetées les dépouilles des animaux sacrifiés, ils sont ensuite complétés par un ou plusieurs bâtiments. On y apporte aussi les trophées de guerre, et particulièrement les armes et les crânes des vaincus, que l'on dépose dans le porche d'entrée.

Le sanctuaire gaulois ressemble à un enclos entouré d'un fossé et fermé par un porche. Il peut abriter plusieurs bâtiments, mais surtout la fosse, auprès de laquelle ont lieu les sacrifices d'animaux et qui est recouverte d'une toiture. Les fouilles ont permis de découvrir dans les sanctuaires de nombreux ossements et armes provenant des butins de guerre.

ne vie après la mort

›ngtemps les Gaulois enterrent leurs ›orts. Mais riches ou pauvres ne sont pas ›humés de la même façon. Les plus aisés ›t droit à une tombe luxueuse, une vraie ›èce dans laquelle on dispose des objets ›écieux. Cette tombe est parfois ›couverte d'un tumulus, une butte en terre et en pierre. Les moins riches sont enterrés dans de vastes cimetières. À partir du IIIe siècle av. J.-C., les Gaulois choisiront d'incinérer leurs morts avant de placer leurs cendres dans des vases disposés dans des fosses avec de la vaisselle, des armes et diverses offrandes. Ces objets semblent indiquer que les Gaulois croyaient en une existence après la mort.

La tombe d'un riche guerrier celte entouré de somptueux objets.

Cette urne funéraire contenant des offrandes est placée à côté des cendres du mort.

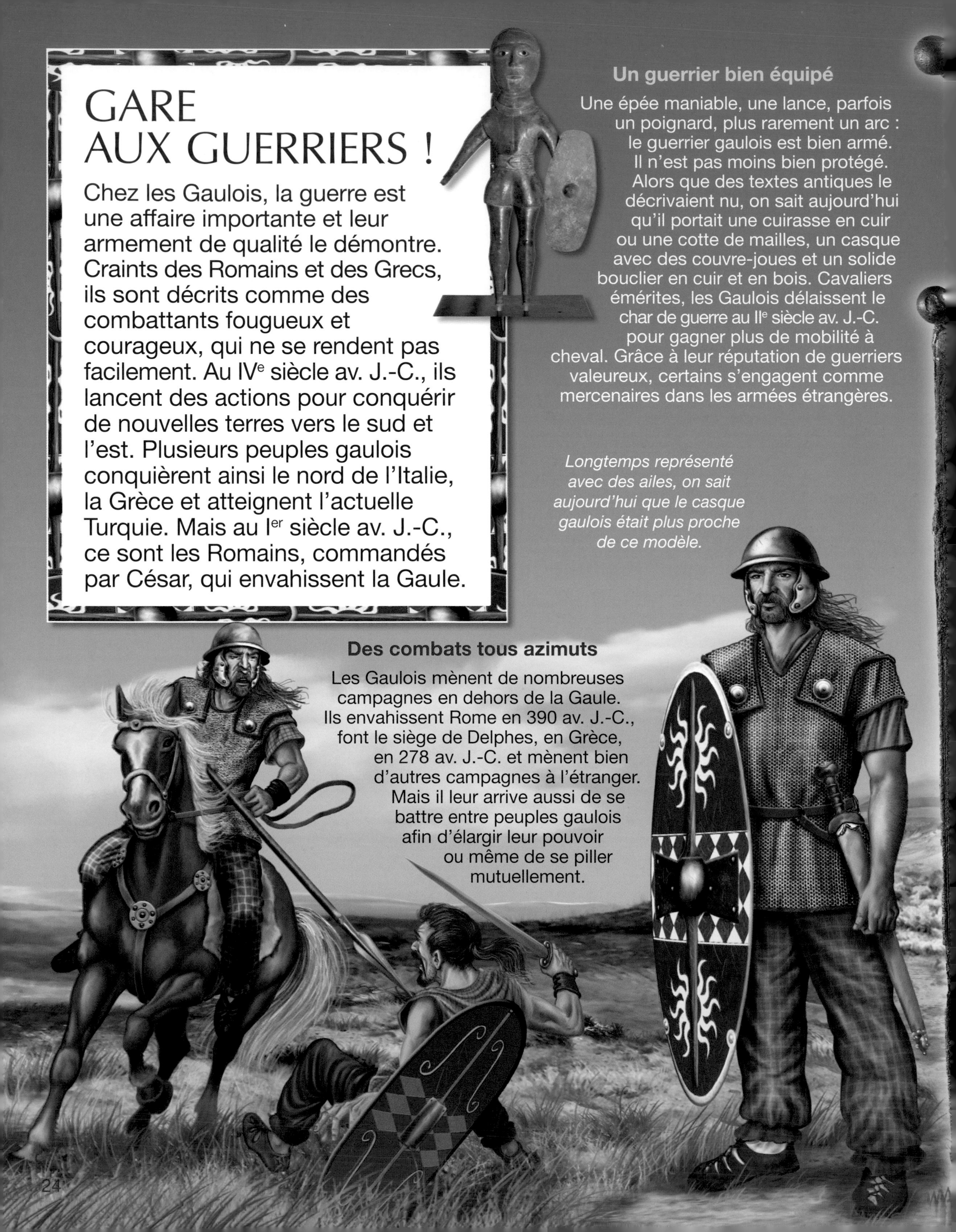

GARE AUX GUERRIERS !

Chez les Gaulois, la guerre est une affaire importante et leur armement de qualité le démontre. Craints des Romains et des Grecs, ils sont décrits comme des combattants fougueux et courageux, qui ne se rendent pas facilement. Au IVe siècle av. J.-C., ils lancent des actions pour conquérir de nouvelles terres vers le sud et l'est. Plusieurs peuples gaulois conquièrent ainsi le nord de l'Italie, la Grèce et atteignent l'actuelle Turquie. Mais au Ier siècle av. J.-C., ce sont les Romains, commandés par César, qui envahissent la Gaule.

Un guerrier bien équipé

Une épée maniable, une lance, parfois un poignard, plus rarement un arc : le guerrier gaulois est bien armé. Il n'est pas moins bien protégé. Alors que des textes antiques le décrivaient nu, on sait aujourd'hui qu'il portait une cuirasse en cuir ou une cotte de mailles, un casque avec des couvre-joues et un solide bouclier en cuir et en bois. Cavaliers émérites, les Gaulois délaissent le char de guerre au IIe siècle av. J.-C. pour gagner plus de mobilité à cheval. Grâce à leur réputation de guerriers valeureux, certains s'engagent comme mercenaires dans les armées étrangères.

Longtemps représenté avec des ailes, on sait aujourd'hui que le casque gaulois était plus proche de ce modèle.

Des combats tous azimuts

Les Gaulois mènent de nombreuses campagnes en dehors de la Gaule. Ils envahissent Rome en 390 av. J.-C., font le siège de Delphes, en Grèce, en 278 av. J.-C. et mènent bien d'autres campagnes à l'étranger. Mais il leur arrive aussi de se battre entre peuples gaulois afin d'élargir leur pouvoir ou même de se piller mutuellement.

Des voisins redoutés

Régulièrement, Gaulois et Romains ont mené bataille les uns contre les autres en vue d'étendre leurs territoires. Moins organisés que les armées romaines, les guerriers gaulois sont toutefois efficacement armés, capables de mobiliser des troupes nombreuses, et ils font régner la terreur pour déstabiliser leurs ennemis. Au IVe siècle av. J.-C., leurs conquêtes inquiètent le monde méditerranéen. Mais vers 300 av. J.-C. les Romains entament la contre-attaque.

La guerre des Gaules

En 58 av. J.-C., le général romain Jules César entreprend de conquérir la Gaule. Il se sert pour cela des rivalités qui existent entre les peuples gaulois et parvient à rallier certains d'entre eux à lui. Bientôt, en 53 av. J.-C., presque toute la Gaule est ainsi conquise, excepté le territoire des Arvernes (l'Auvergne actuelle), dont un jeune chef âgé de 20 ans, Vercingétorix, rassemble des troupes pour s'opposer à César. Dans son livre *La Guerre des Gaules*, Jules César décrit les différentes batailles qui ont opposé Romains et Gaulois.

Une tradition guerrière consistait à rapporter les crânes des ennemis vaincus pour les exposer à l'entrée des maisons gauloises ou du sanctuaire local.

Alésia, un siège historique

En 52 av. J.-C., derrière leur chef Vercingétorix, les troupes gauloises parviennent à battre César à Gergovie, près de Clermont-Ferrand. Mais, cette même année, les Gaulois se font assiéger sur l'oppidum d'Alésia (dans l'actuelle Bourgogne). Malgré les tentatives de renfort, le siège de la ville par les Romains dure deux mois. Deux longs mois pendant lesquels les Romains n'attaquent pas mais creusent des fossés et encerclent l'oppidum avec des palissades pour empêcher toute fuite et toute aide extérieure. Affamés, épuisés, les Gaulois finissent par se rendre. La Gaule devient romaine.

Tableau de Lionel-Noël Royer montrant Vercingétorix déposant les armes devant César à Alésia.

LA GAULE ROMAINE

La victoire de César à Alésia marque le début de la Gaule romaine : le territoire gaulois devient une province de l'Empire romain. Des Romains s'installent en Gaule et y répandent toute une culture : des traditions, la langue, des techniques, une manière d'appliquer la justice... Peu à peu, les villes et domaines agricoles sont réorganisés, le réseau routier est perfectionné, le latin (la langue des Romains) s'impose dans les échanges et les croyances gauloises sont délaissées. Ainsi, plus ou moins rapidement selon les régions, les Gaulois se « romanisent ».

Les voies romaines

Avant l'arrivée des Romains, la circulation en Gaule n'est pas complètement satisfaisante : les chemins deviennent vite impraticables dès que le temps se gâte. Les Romains désirent faire circuler plus efficacement et plus rapidement les marchandises et leurs troupes entre les provinces. Ils créent des voies pavées avec des fossés de drainage et jalonnées de bornes milliaires (indiquant les distances).

La transformation des villes et de l'habitat

Avec l'arrivée des Romains, les villes gauloises changent. Les capitales régionales sont transformées ou déplacées et revues selon le modèle d'architecture romain. On redessine les rues, qui deviennent rectilignes, on crée des lieux de loisirs (thermes, amphithéâtres, cirques...), on bâtit des ponts en pierre, parfois un aqueduc pour alimenter la ville en eau. Les maisons, elles aussi, changent. Le bois et le torchis sont remplacés par la pierre et la brique, le toit est peu à peu couvert de tuiles en terre cuite. Dans les campagnes, de grands domaines agricoles apparaissent, comme ceux qui existent déjà sur le territoire romain.

La ville d'Arles à la période gallo-romaine. On y distingue les rues se croisant à angle droit et les lieux de loisirs : le cirque (1), le théâtre (2), les arènes (3).

3

2

1

Vers la langue et la culture latines...

La langue officielle de l'Empire romain est le latin. En Gaule, on commence par l'utiliser dans les échanges commerciaux et au cœur des nouvelles illes fondées par les Romains, où les riches Gaulois doptent rapidement. Peu à peu, le latin est enseigné aux élèves, dont l'éducation n'est plus confiée ux druides mais à des maîtres d'école (*magistri ludi*), venus de Rome. Les récits anciens, les légendes sacrées et les mythes celtes disparaissent de l'enseignement et de la culture gauloise.

Mullo est un dieu celte qui fut adopté par les Romains (Mars Mullo) et vénéré dans l'Ouest de la France. Un sanctuaire qui lui est dédié a été découvert dans la Sarthe.

Des croyances qui évoluent peu à peu

Avec l'arrivée des Romains, qui croient eux-mêmes en d'innombrables dieux, les Gaulois conservent parfois leurs divinités locales et leurs croyances tout en adoptant certains dieux de l'Empire. Ainsi, selon les régions et les villes fouillées, on découvre des cultes qui témoignent des deux cultures, avec des cérémonies ou des fêtes honorant les unes ou les autres des divinités romaines ou gauloises.
En revanche, les druides disparaissent : les Romains ne tiennent pas à ces personnages religieux qui s'immiscent dans les affaires de justice et de politique.

L'aqueduc nommé pont du Gard (à gauche), le théâtre antique d'Orange, les arènes de Nîmes (à droite)... comptent parmi les vestiges les mieux conservés de la période gallo-romaine.

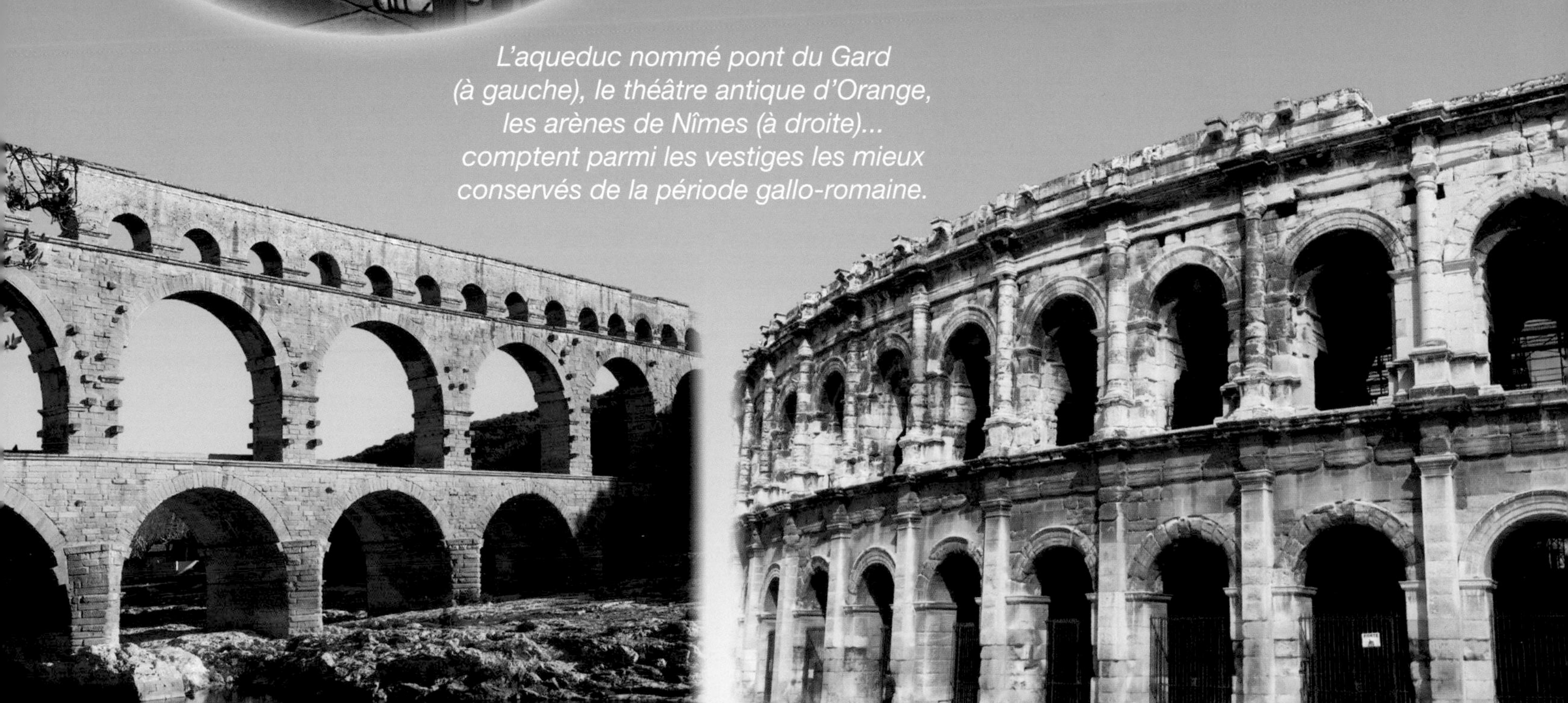

TABLE DES MATIÈRES

MDS : 241577N1
ISBN : 978-2-215-11518-2

Dépôt légal à la date de parution.
Conforme à la loi n° 49-956 du 16 juillet 1949
sur les publications destinées à la jeunesse.
Imprimé en Italie (11-12)

Le druide est à la fois prêtre, enseignant, juge, soigneur...

La moissonneuse gauloise

Potier gaulois

Le siège d'Alésia par les troupes romaines

Le transport des marchandises par la rivière

Un banquet gaulois

La maison gauloise est en bois et torchis (mélange de terre et de paille)